낙서로 보는 **사랑의 언어**

원윤경 지음

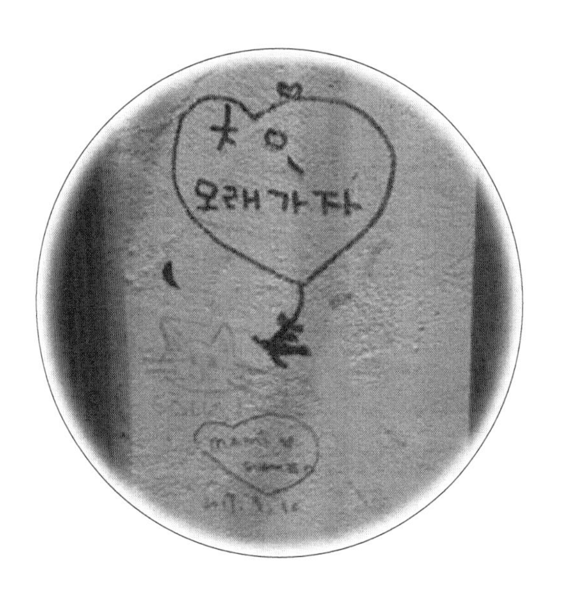

사랑의 언어

발 행 | 2024년 8월 15일

저 자 | 원윤경

펴낸이 | 한건희

펴낸곳 | 주식회사 부크크

출판사등록 | 2014.07.15(제2014-16호)

주 소 | 서울특별시 금천구 가산디지털1로 119 SK트윈타워 A동 305호

전 화 | 1670-8316

이메일 | info@bookk.co.kr

ISBN | 979-11-419-0000-7

www.bookk.co.kr

작가의 말

사랑하는 모든 이에게 이 책을 바칩니다.
사랑하면 바라만 봐도 미소가 지어지고 아무 말 없어도 지루하지 않고 가만히 있어도 호흡이 떨리죠.

우리는 사랑을 절박하게 찾다가 찾으면 잃을까 두려워하고 사랑이 끝나면 독감에 걸린 듯 아파하다가 다시 사랑이 찾아오면 먼지처럼 아픔을 털어버리기도 합니다.

사랑할 때 느끼는 수많은 감정과 헤어질 때 느끼는 아픈 마음을 대학가 식당, 카페 벽에 적힌 낙서에서 힌트를 얻어 짧은 시로 풀어 놓았습니다.

시에 올려진 삽화들은 픽사베이, chat gpt에서 도움을 받았습니다.

2024년 8월 15일

원윤경

CONTENT

CONTENT

CONTENT

CONTENT

CONTENT

CONTENT

CONTENT

CONTENT

CONTENT

CONTENT

CONTENT

CONTENT

CONTENT

CONTENT

CONTENT

낙서로 보는 **사랑의 언어**

그리움

그리우면 마음이 움직이고

마음이 움직이면 보고 싶고

보고 싶으면 눈물이 난다

당신은 내게

당신은 내게 기적이에요
오랜 기다림 끝에
당신을 만났죠

당신은 내게 감동이에요
다정한 목소리로 불러주는
자장가도

내 이야기 들어주는 당신도
다 감동이죠

당신은 내게 희망이에요
변화를 두려워하지 않고

손해 볼 줄 아는
거짓말하지 않는 당신

당신은 내게 하늘이에요
당신이라는 우주에 들어가
시간을 나눌게요

당신의 별이 되는
그 순간까지

네가 별이야

그때는 멋있었는데
하늘에 별을 따준다고
폴짝폴짝 뛰고 난리를 쳤잖아

그래 너는 웃으며 좋아했고
나는 뛰다가 넘어져 코가 깨졌지

그래 그때는 그랬지
내가 하늘의 별은 못 잡아도
니 마음은 꼭 잡을 거라 했지

지금도 그 마음 변함없나?
지금은 별 못 따준다
왜? 못 따주는데?

니가 그 별이다

당신은 커피 같아요

당신은 내게 커피 같아요
커피 맛이 좋으면
한 모금도 아까운데
당신이 그래요

겨울 사랑

흰 눈이 소복이 내리던 날
세상은 은빛으로 가득한데

어쩌다 당신같이
착하고 섬세한 사람을 만나
잠시 현실을 잊으니

그것 하나만으로도 감사해요

천천히

번개처럼 왔다가
바람처럼 사라지는
그런 사랑 말고

달팽이처럼 바닥에
착 달라붙어
천천히 자국 남기는
그런 사랑하자

꽃과 비

행복하게 사랑하면
꽃이 되고

슬프게 사랑하면
비가 된다

고마운 사람

당신은
고마운 사람
불현듯 내 앞에 나타나주고

남들처럼 바보 같단 말도 안 하고
아파하는 내 마음 꼬옥 안아주고

누구보다
내 얘기 잘 들어주는
당신은
고마운 사람

가장 아름다운 시간

누군가 나에게
가장 아름다운 시간이
언제냐고 묻는다면

나는 이렇게 대답할 거예요
당신과 함께한 날들이라고

말 안 해도 아시죠?

당신 가슴에
내 얼굴을 기대고 싶어요
당신 심장 소리를 듣고 싶어요

살아 있는 날 동안
언제나 당신의 가슴에
귀 기울이고 싶어요

나를 사랑해 주고
보듬어 주는 당신 사랑에
나도 마음을 다하고 싶어요

말 안 해도 아시죠?

당신 곁에

내가 있다는 거

설레임

그거 알아?

너와 보았던
영화 보다

우리 사랑이
더 설렌다는 거

하루 종일 네 생각

오늘 하루 어땠어?
네 생각 하느라
시간이 빨리 갔어

지금 어디야?
네 마음속에 있어
언제나처럼

무슨 생각 해?
네 미소를 떠올리며
행복을 그리고 있어

내일 뭐 할까?
네 옆에서 모든 순간을
함께 하고 싶어

너는 장미꽃

너는
내 인생의 장미꽃

내 삶은
너의 향기로 가득하다

네가 있어
모든 시간이 아름다워

싫어하는 것

좋아하는 것과
싫어하는 것 중에서

좋아하는 아홉 개 보다
싫어하는 하나
안 하는 것이 더 중요해

싫어하는 것 하나만으로도
사랑은 멀어질 수 있으니까

바람 같은 너

너는
내게 바람 같아

추운 날엔
따뜻한 바람으로

더운 날엔
시원한 바람으로

변함없이 불어오는
고마운 바람

좋은 만남

너를 만나다니
너무 좋아

어부가 고기를 만나듯
나무꾼이 땔감을 만나듯

이유

자기는 왜 질투 안 해?

온실에 꽃은
들에 핀 꽃을 질투해도

하늘의 매는
땅 위에 닭을 질투하지 않으니까

감정 없는 너

너는
어떻게 감정이 없니

돌에서 태어났니
얼음에서 태어났니

재밌는 연극을 봐도
슬픈 영화를 봐도

웃지도 않고
울지도 않아

아무리 생각해도
너는 로봇 같아

지우다

너무 아픈 사랑은

꿈에서도 사랑을 지운다

다시는 아프지 않기 위해

모든 것을

지우고 또 지운다

저녁 식사하실래요?

당신은
시간이 지날수록
더 아름다워지시네요

설마요, 과찬이에요
몸 둘 바를 모르겠네요

당신은
늘 저를 설레게 한답니다

그래요?
시간 되시면
저녁 식사하실래요?

너의 미소

아무리
꽃향기가
진하고

술 향기가
강해도

너의
미소는
따라갈 수 없구나

행복

너를 만나고

내가

변했어

행복하게

잠이 들고

설레며

일어난다

네가 좋다면

여행 가면
어디로 가고 싶어?

미켈란젤로, 다빈치, 라파엘도
보고 싶고

피자, 파스타, 달콤한 젤라또도
먹고 싶고

푸른 토스카나 언덕길도
걷고 싶고

피렌체 두오모 성당도
가고 싶지만

네가 좋다면
어디든 다 좋아

아침이 기다려져

그거 아니?
아침이 기다려지는 거

자는 동안엔
네 생각 할 수 없으니까

빨리
아침이 왔으면 좋겠어

당신 생각

지금 뭐 해요?
당신 생각

나도 당신 생각했는데
마음이 통했나 봐요

홍수 날지 모르겠어요
왜요?

보고 싶어 눈물 나니까

당신 닮은 카페

연극 끝나면
어디 가고 싶어요?

커피 잘하는 곳 있는데
거기 갈래요?

다른 곳에선

그런 맛 못 찾겠어요

그거 알아요?

당신 그 카페 닮은 거

이별 후

너랑 자주 오던 카페
너 없이
혼자 왔구나

감기에 좋다고
생강차 먹었더니

올 때마다
생강차 주문했었지

오늘은
먹고 싶은 녹차 시킨다

Coffee Cafe

말을 해야 알지

미안하다는 말
그렇게 힘들어?

미안해서 못하는 거야?

내 감정에는
관심이 없는 거야?

말을 안 하니까
혼자 별생각을 다 한다

당신은 무지개

내게 다가오는
많은 사람들이 있지만
그들의 눈에는 별이 없어요

입에서 나오는
공허함과 욕망과
쓰레기기 같은 냄새만 풍기죠

나는 다른 사람들이 전해주는
당신의 평판을 믿지 않아요
당신은 빛나는 무지개예요

배려

오늘
많이 힘들었지
같이 있어 줄까?

그래 그럼 좋지

아니다 가는 게 좋겠다

왜?

같이 있으면
더 피곤할지 몰라

괜찮은데

너 없는 길

이 길은

우리가 손잡고

걷던 길

이곳은

우리가

입 맞춤하던 곳

너는 없는데

모두 다 그대로다

언젠가는

나를 사랑 안 해도 좋아
내가 사랑하는 건
막지 말아 줘

사랑이 뭔지 몰라도
괜찮아
언젠가 당신도
나를 사랑할 테니까

사랑의 확신

나는

너를 보고

1분도 지나지 않아

사랑에 빠질 줄 알았어

지금도 내 옆에

네가 있다는 것은

내 느낌이

틀리지 않았다는

확신이야

지우고 싶다

기억
지울 수만 있다면
지우고 싶다

너를 만나기 전
모든 걸 지우고 싶어

너를 만나기 전
내 삶은 사는 게 아니었어

그러지 마
너의 지난 과거도
내가 사랑하는 너니까

나의 오아시스

하루라도

너를 만나지 않으면

물 없이

사막을 걷는 것 같아

넌 나의 오아시스

나의 생명이야

내가 잘한 한 가지

나는 지금까지 평범하게 살았어
너무 평범해서
사람들은 내 이름조차 모를 거야

그래도
내가 잘한 한 가지는
내 마음을 다해 너를 사랑한 거야

자기는 평범하지 않아
늘 겸손하고
사랑으로 가득한 사람이지

이 세상에서
내가 가장 사랑하는 사람

할 수만 있다면

네가
나를 보는 눈빛

그 눈빛만 봐도
나는 행복해

할 수만 있다면
내 속에 넣고 싶어

네 눈으로
세상을 본다면
아름다울 거야

세상은
너로 가득할 테니까

하지 마세요

나 친구 있는 거 알아요?

네

그런데 왜

저한테 잘해주세요?

그렇다고 잘하면 안 되나요?

욕심 생기려고 하니까

하지 마세요

고마워요

고마워요
이 말은
사랑해 보다
듣기 좋은 말이다

사랑해는
헤어지면 끝나지만

고마운 건
헤어져도 남으니까

너를 만나는 날

오늘은
너를 만나는 날
아침부터 두근거린다

뭘 먹을지 어디로 갈지
고민하고 또 고민하다가
너를 만나면 다 잊어버리지만

그래도 내가
많이 생각한다는 건
알아줬으면 해

눈물이 난다

이렇게 좋을 수가
눈물이 난다

뭐가?

사랑이
이렇게 좋은지 몰랐어

그래서 모두
사랑을 하나 봐

우리 사귈래요?

이제야 답을 하네요
우리 사귈래요?

지난번 당신이 조심스레
우리 사귈래요?
했던 질문

그때는
자신이 없었어요

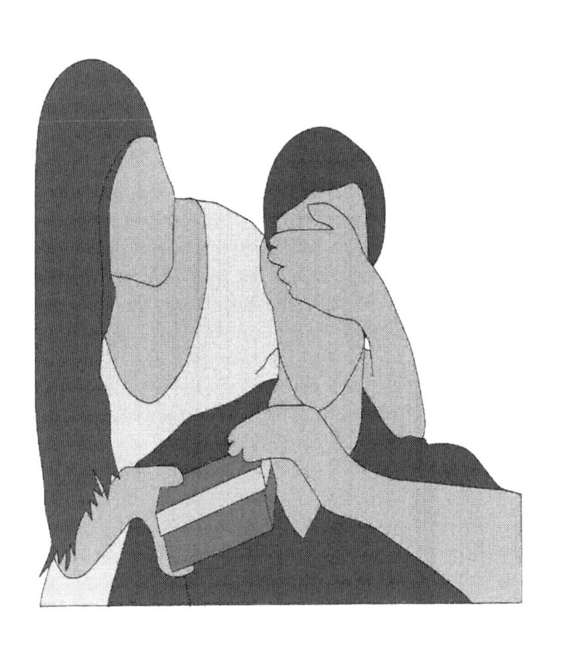

모두가 사랑이더라

버스 타고 치킨 먹고

사진 찍고 낙서하고

마냥 걷고 연극 보고

실컷 웃고 떠들던

하루하루가

돌아보니

모두가 사랑이더라

달새는 달만 생각해

달새는 달만 생각하고
너는 먹을 것만 생각하고
나는 너만 생각한다

생각한다는 말은 사랑한다는 말
달새는 달을 사랑해서 달만 생각하고
나는 너를 사랑해서 너만 생각한다

생각한다는 말은 행복하다는 말

달새는 달이 있어 행복하고

나는 네가 있어 행복하다

생각한다는 말은 고맙다는 말

달새는 달이 있어 고맙고

나는 네가 있어 고맙다

너를 보낸다

너를 생각하면 눈물이 난다
어제보다 더 생각이 나

오늘은 100일 되는 날
함께 여행 가기로 했는데

네가 떠난
자리에 나만 앉아 있다

왜 이렇게 바보같이
눈물이 나는지

쓰디쓴 커피를 마시며
너를 보낸다

잠시 잊을뻔했다

아주 잠시
욕망에 어쩔 줄 모르다가
금방 식어버린 사랑을
사랑이라 부를 수 있을까

오래오래 사랑하자더니
잠시 머물렀던 너의 사랑을
사랑이라 부를 수 있을까

달콤한 어지러움에
잠시 잊을뻔했다
언제나 떠날 수 있다는 것을

가끔은 게을러도

너랑 있으면
가끔은
게을러도 좋다

할 일이 미뤄지고 쌓여도 좋다
그저 지금처럼

진한 커피 한잔하고
기운을 차리면

세상 근심 모두
사라지고 없어질 테니까

아주 가끔은
너랑 게을러도 좋을 것 같아

언젠가는 잊히겠지

서로 다른 길을 가거나
떠나보냈거나

이별 후
미련을 갖는다는 건

마음만 아프게 할 뿐인데
알면서도 자꾸만 떠오른다

어쩌겠어
그냥 받아들이기로 하자
언젠가는 잊히겠지

자유

시험 끝나고

자기와 마시는

캐러멜 마키아토

한 잔의 여유

너무 좋다

날씨는 팡실팡실 하고

기분은 빵실빵실하고

우린 싱글싱글하다

my
coffee

1분도 통화하기 힘들어?

오늘 많이 바빴어?
이번 주 계속 야근이야

퇴근할 때 전화 좀 주지
오늘 완전 피곤

언젠 내 목소리가 피로회복제라면서
아 너무 피곤하네
미안 얼른 씻고 자야겠다

난 하루 종일
네 전화 기다렸는데

1분도 통화하기 힘들어?
오전에 통화했잖아

그게 통화야?
궁금한 거 있어서 물어본 거지
왜 그래 피곤한데

그래 알았어
매일 내 걱정해 주던 사람
지금은 어디로 갔을까

좋다

오늘 날씨 참 좋다

꼭 너 같다

날씨도 좋고

너도 좋고

우리 사랑도 좋다

좋고 또 좋다

화산처럼 뜨거운 여름
너와 마시는 시원한 맥주
좋고 또 좋다

술은 입으로 마시고
너는 눈으로 마신다

좋은 사람들과 마시면
달다던데
술맛을 모르겠다

너랑 비교가 안 되네

너였으면

힘들 때
쉴 수 있는 곳

쉴 수 있는 사람
쉴 수 있는 놀이

하나쯤은 있으면 좋겠다
그게 너였으면

너를 보면

그거 아니?

네가 웃으면
내 심장이 쫄깃해지는 거

네가 안아 주면
내 몸은 불타오르고

네가 쳐다보면
내 마음은 녹아내려

대답없는 너

잘 지내고 있지?

너 없이

휴일을 혼자 보내는 건 정말 싫어

내가 옳은데

네가 틀렸다고 하는 것도 싫고

내 뜻대로 안 되는 삶도 싫어

그래도 네가 있어서 다행이야

네가 없었으면

어땠을지 상상만 해도 끔찍해

이렇게 많이 문자 보내는데

답이 없네

톡 보면 연락 줘

매력적인 당신

당신 눈은

언제 봐도 예뻐요

시냇물에서

방금 건져 올린

조약돌같이 반짝거려요

당신 입술은

언제 봐도 매력적이죠

조개껍질에서

태어난

비너스처럼

매력 있어요

내 눈을 봐요

이야기할 땐

내

눈을 봐요

당신 마음

읽을 수 있게

내

눈을　봐요

이런 만남

이렇게도 만나네요
우연인지 모르겠지만
재밌네요

이런 만남

서로 다른 사람 대신
나온 거잖아요

표가 비싼 거라 다행이에요
아님 버렸을 텐데

혼자 두지 말아요

나를 혼자 두지 마세요
사랑은
혼자 두면 시들어져요

자주 이야기해 줘요
파릇파릇 잎이 자라도록

자주 보여 주세요
사랑이
예쁘게 피어나도록

너는 기적이다

아침에 눈을 떠
함께 웃고

이야기할 수 있다는 건
행복한 일이고

그중에
너를 만나

사랑한다는 건
기적 중의 기적이다

외롭게 하지 마

마음은 나눌 때
행복해하지만

오랫동안
나눔이 없으면

얼음처럼 차가운
눈물을 흘린다

외로우면
코끼리도 말을 한다는데

나 외롭게 하지 마
코끼리랑 말하기 싫으니까

자기공명

자기가 행복하면
나도 행복해요

왜 그런지 알아요?
내 마음이 자기를 느끼니까요

열쇠가 자물쇠에 물려
철컥하고 열리듯

자기 행복이 열리면
내 행복도 열리거든요

너는 새 나는 바람

3미터가 넘는 날개로
바람을 타고

하루 500km
50일 동안

한 번도 쉬지 않고
날 수 있는 바보 새가 있죠

새의 이름은
알바트로스

당신은 알바트로스
나는 바람

사랑의 열쇠

아픈 사람은
마음을 열지 않아

마음을 열면
눈물이 흘러 멈추지 않을까 봐

너덜 해진 마음이
쓰레기로 변할까 봐
단단히 반창고로 붙여 두지

아픈 마음은
사랑만이 열 수 있어

보석같은 당신

자기는
내게 보석 같아
어디 있어도 빛나

보석은
흙이 묻어도 보석이잖아

자기는 무얼 해도 멋져

설레임

너의 입김이 불어오면
나는 날아갈 듯 행복해

온몸이
뜨겁고 촉촉해지거든

이런 설렘
좋아해

살아있는 증거니까
자꾸만 보고 싶다

신의 부탁

나에게 중요한 건
당신이 여기 있다는 거예요

신이 나에게 부탁한 두 가지

하나는
당신을 지키는 일이고

하나는
당신을 행복하게 하는 거예요

떨림

떨어져 있으면
생각이 떨리고

함께 있으면
심장이 떨린다

적당한 거리

사랑에는
적당한 거리가 필요하죠

너무 가까우면
충돌할 수 있고

너무 멀면
누군가
끼어들 수 있어요

행복한 시간은 지금이야

나에게 행복한 시간은
지금이야

너와 함께 있는
지금

이 시간이 아까워
자꾸만 너를 본다

너의 눈빛
너의 미소
너의 입술

시간이 멈췄으면 좋겠어

빛과 그림자

그림자가 있는 이유는
내 앞에
빛이 있기 때문이지

그림자를
떼어낼 수 없다면
내 앞에 빛만 바라볼게

그 빛이
너였으면 좋겠어

원한다면

네가 날고 싶다면
하늘을 주고

네가 달리고 싶다면
초원을 주고

네가 쉬고 싶다면
내 품을 줄게

마음의 크기

마음은
크기가 정해져 있어서

많이 담으면
넘쳐나고

적게 담으면
자리를 옮긴다

사랑의 힘

사랑은
돌이 아니라
옮길 수 없고

돗자리가 아니라
접을 수도 없고

방패가 아니라
막을 수도 없다

몰랐어요

사랑에 빠지면
세상이
노래 같죠

그런데 몰랐어요

노래가 끝나면
사랑도
끝난다는 것을

사랑의 시작

바라만 봐도
미소가 지어지고

아무 말 없어도
지루하지 않고

가만히 있어도
호흡이 떨리면

사랑이 시작된 거죠

멀리하는 이유

그대를 멀리
할 수밖에 없는데
이유는 왜 물으시나요

이별의 말이
가슴에 남아
더는 보고 싶지 않은데요

거리의 연인들

거리를 지나는
다정한 연인들

두 손 부여잡고
어디를 가는 걸까

해 맑은 웃음소리
반짝이는 눈빛

세상이 온통
따스해 보인다

상처와 향기

풀은
상처받을 때

향기가
가장 좋듯이

사람도
향기가 되는
상처가 있다

두려움

우리는
사랑 앞에
행복해하지만

어쩌면
올 수도 있다는
이별 앞에

두려워
떨기도 한다

가장 아름다운 날

삶에서 가장 아름다운
꽃 같은 날

내 인생에
그런 날이 있었을까

생각해 보니 흐릿하게
있기는 하더라고요

질문에 굳이 답하자면
저는 오늘이 늘
가장 아름다운 꽃 같은 날이에요

지난 시간들은
안개와 같으니까요

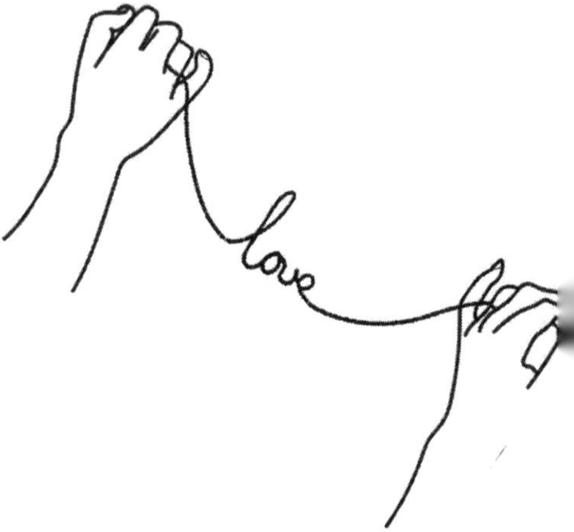

평생 이랬으면

몇 만년 만에 데이트

너무 행복하다

사람이

이렇게 좋아진 건 처음이다

평생 이랬으면 좋겠다

여행하듯

여행하듯
인생을 살 수 없을까!

정에 메이지 않고
사랑에 울지 않고

그렇게
살고 싶다

추억은 하루 같고

우리가
처음 만나던 날
기억하니

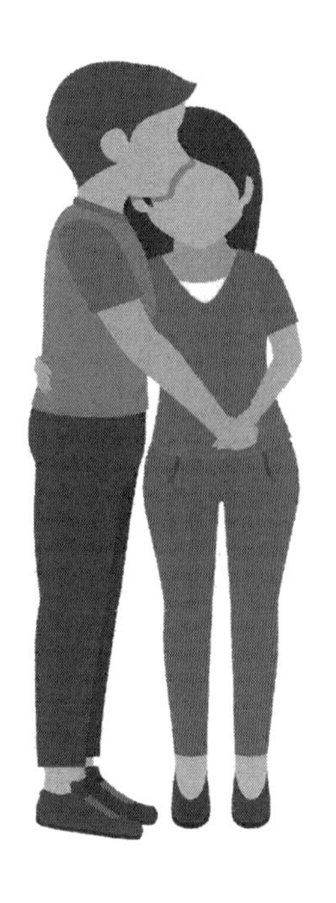

커피도 마시고
영화도 보고
공원도 걸었지

이제 와 돌아보니
추억은 하루 같고
아픔은 백 년 같구나

당신의 힘

당신의 미소가

햇살처럼 비추면

내 영혼은

꽃잎처럼 떨리고

당신의 손길이

바람처럼 스치면

내 영혼은

불꽃처럼 타올라요

우리 이야기

우리 사랑은

끝없는 소설 같죠

예쁘게 한 줄씩

써 내려가요

날마다 새로운

우리 이야기

당신은 나의 오아시스

인생이 사막처럼
삭막하고 외로울 수 있지만

사막이 아름다운 이유는
어딘가 숨겨진 오아시스 때문이죠

그 황량한 사막 속에서
눈부신 파란 하늘을 담을 수 있는 건
오직 오아시스뿐이에요

어쩌면 당신이
나의 오아시스인지도 모르겠어요

사랑은 변해요

사랑은 요리 같아요

아무리 맛있는 음식도
시간이 지나면
밋밋해지듯이

한낮의 뜨거운 태양 같아도
밤이 되면
차가운 달빛으로 변하죠

사랑의 세기

요리할 땐
불의 세기를 잘 봐야 해요

너무 세면 타버리고
너무 약하면 익지 않죠

사랑도 그래요

너무 세면
쉽게 식어 버리고

너무 약하면
쉽게 떠나버리죠

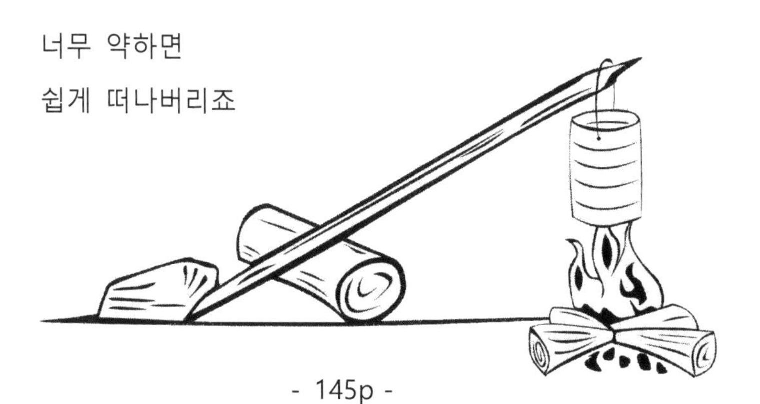

사랑은 기적

사랑은
기적이에요

사랑이
무언지 모르던 내가

당신 덕분에
사랑을 배우고

기다림을 몰랐던 내가
기다림을 배우고

참지 못하던 내가
참을 수 있다니요

당신은 멋진 사람

당신 정말 멋진 사람
부드러우면서 강렬해요

당신의 요정이 되고 싶어요

당신은 나를 부르기만 해요
언제라도 달려갈 테니

당신이 나인지

문득
내가 당신인지
당신이 나인지 하는 생각이 들어요

당신은
내 말을 왜곡하지 않고
오해하지 않고
있는 그대로 받아들이죠

당신 말투는
달콤하고 유쾌해서
기분을 즐겁게 해줘요

나는 소라껍데기

아, 나의 소라

당신은 소라
나는 소라 껍데기

내가 껍질이 되어
당신을 지켜줄게요

아무것도 두려워 말아요
내가 당신을
소중히 감싸줄게요

그럴 때가 있다

사람보다
차 한 잔이 나을 때가 있고

사랑보다
술 한 잔이 나을 때가 있고

위로보다
침묵이 나을 때가 있다

너는 어디 있어도 꽃이다

가지를 떠난
꽃이라고

모두
지는 꽃은 아니다

마지막 잎이
질 때까지

길 위에서
한 번 더 핀다

너는
어디에 있어도
꽃이다

사랑의 과정

사랑의 시작은
대화에 있고

사랑의 성장은
배려에 있고

사랑의 열매는
미소에 있다

마음으로 쓰면 사랑

연필로 쓰면

편지가

붓으로 쓰면

그림이

마음으로 쓰면

사랑이 된다

채울 수 없는 두 가지

세상에
채울 수 없는
두 가지

깨어진 항아리와
끝없는 욕심

항아리는
부서져야 끝이 나고

욕심은
사랑해야 끝이 난다

너에게 내가 간다

볼 수도 없고
만질 수도
없지만

나를 움직인다
너는 사랑

너에게 내가 간다

내 심장이 화살에

사랑해
내 심장이
화살에 맞았네

큐피드는
활도 잘 못 쏘는데

어쩌다 내 심장이
황금 화살에 맞아
너를 보게 되었을까

죽도록 사랑하진 말자

달콤한 어지러움에
취하고 싶은 마음도

이별의 아픔을
염려하는 마음도

모두 다 순간인 것을
죽도록 사랑하진 말자

비 오는 날

비가 오는데
네가 생각난다

비는
맞으라고 내리는데
우산은 왜 쓰냐고 묻던 너

비를 맞으며
너를 기다린다

비는 맞으라고 내리는데
우산은 왜 쓰냐고 할까 봐

너 없는 골목길에
나 혼자 서있다

언젠가는

마음을 꽉 짜면
슬픔이 흐르지 않을 사람
누가 있으랴

그 슬픔마저
품고 살아가는 것이
우리의 인생인 것을

언젠가는
눈물의 강 저 너머
이르지 않겠나

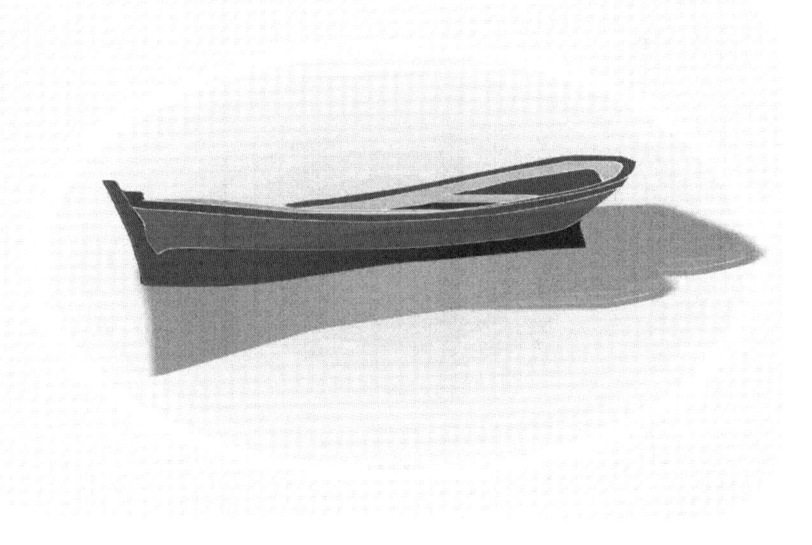

너의 작은 친절

친절은 아무리 작아도
헛된 일이 없다

너의 작은 친절에
나의 하루가 행복하다

나도 너처럼
누군가에게

미소를 건넨적 있는지
뒤돌아본다

꿈 속에서 너를 보았어

어젯밤 꿈에
너를 보았어
어떻게 지내는지

어디에 사는지
무엇을 하는지
연락할 방법도 없는데

온종일 네 생각에
하루가 지난다
너도 나를 보았을까

꼭 하고 싶은 말
있었는데
오늘 밤 다시 보았으면

세상에 없는 한 가지

세상에 없는 세 가지
공짜
정답
비밀

세상에 없는 두 가지
완벽한 사람
영원한 사랑

세상에 없는 한 가지
이별 후
사랑

사랑이 뭐야?

사랑은
술대로 뜯는
여섯 줄 거문고처럼

손가락으로 튕기는
열두 줄 가야금처럼

각자 서로의 자리에 있지만
함께 아름다운 소리를 내는 거지

자기는 좋은 사람

자기는 좋은 사람이야
내 이야기가
두서없어도 지루해도

처음 듣는 것처럼
재미있게 들어주는
좋은 사람

내 이야기를
흘려듣거나 듣는 척만 하고
자기 생각만 말하는 사람 많은데

잘 참고 이뻐해 주고
편안하게 들어주는
자기는 좋은 사람이야

새가 앉지 않게

4백 년 된 삼림의 거목
연륜에 시들지 않던 거목이

사람 손끝으로
문질러 버릴 수 있는
작은 딱정벌레 때문에
쓰러지는 것처럼

내 머리 위에는

작은 새라도

둥지를 틀게 하면 안 된다

새가 머리에 앉으면

날려보내야 한다

아니면

새의 지배를 받게 된다

사랑이 깨어지는 이유

교만하면
내 기준이 최고인 줄 알고

게으르면
지혜를 배우려 하지 않고

어리석은 삶을 살게 된다

사랑이 깨어지는 이유는
교만과 게으름에 있다

현명한 사람

자신은 늘 손해를 보면서
다른 이에게 이익을 준다면
그는 무력한 사람이고

자신과 누군가에게
이익을 준다면
그는 현명한 사람이다

자신에게는 이익이지만
다른 이에겐 고통을 준다면
그는 악한 사람이고

자신과 다른 사람 모두에게
고통을 준다면
그는 어리석은 사람이다

나의 소라

어느 날
슬픔에 잠긴 나에게
소라가 찾아왔어요

아무런 기대 없이 돌아본
그곳에
소라가 있었죠

나는 소라가 없으면
아무 소용 없는 껍데기였어요

소라를 만나고 나서야
당신의 위로를 알게 되었죠

외로움으로 단단해진
내 껍질로
소라를 품었어요

나의 소라가
행복해질 수 있도록
꼭 안아 줍니다

나의 사랑 나의 소라

모험을 떠날
준비를 합니다

로또가 되면
모험을 떠나는 꿈을 꾸었지만

소라를 만나고
인생 모험을 떠나기로 했어요

두렵고 떨리기도 하지만
소라와 함께 용기를 내보겠어요

소라의 값진 웃음과 사랑이
보석처럼
내 마음을 행복하게 해주네요

나의 사랑 나의 소라와
인생의 모험을 이제 시작해요

사랑하는 마음

사랑하는 마음이
없으면

용서가 어렵고
인내가 어렵고
화목이 어려워요

사랑하는 마음이
있으면
모든 게 가능해요

이것은
사랑의 힘이에요

지혜로운 자

어리석은 자는
하나만 알고
둘은 모른다

입으로 하는 말은
듣지만

마음이 하는 말은
듣지 못한다

그대는
지혜로운 사람

하나를 알아도
열을 알아요

시기와 질투

시기는
자기가 갖지 못한 것을
가진 사람을 부러워하는 것이고

질투는
가진 사람이 그것을 잃을까 봐
두려워하는 것이 질투죠

시기와 질투는 한 배에서 나온
욕심이 낳은 형제들이에요

의심이 자리 잡은 마음에는
사랑이 깃들지 못해요

사랑한다면
나를 믿어요
나도 믿음을 줄게요

당신이 없으면

끝없이 펼쳐진
광활한 대지 위를
수놓은 예쁜 꽃들의 향연도

비 온 뒤
호수 위에 피어오르는
물안개의 춤추는 모습도

눈 내리는 겨울
아이들이 신나게 썰매를 타는
개여울의 풍경도

당신이 없으면
모두
빈 종이로 보여요

내가 필요한 이유

제우스의 불을 훔쳐
인간에게 건네준 프로메테우스가

인간의 앞주머니 속에는
이웃의 결점을

뒷주머니 속에는
자신의 결점 넣고 다니게 했다지?

그래서 자기 곁엔
내가 필요한 거야

자기 결점을 보이면
하나씩 이야기해 줄게

생각해 봤어?

자기야
자기 생각이
항상 맞지 않을 수도 있다는
생각해 봤어?

세상은
내가 생각지도 못했던 일이
일어날 수도 있어
두렵기도 하겠지만

생각지도 못했던
좋은 일이
일어날 수도 있으니까

늘 자기 생각이
옳다고만 생각하지 마
아닐 수도 있잖아

웃는 당신

사람의 첫인상이
각인되는 시간은 5초

사람의 얼굴
근육은 80여 개

근육으로
지을 수 있는 표정은
팔 천여 가지

그대 얼굴 표정은
한 가지

나를 보며 웃는 얼굴

그대 때문에

내가 별처럼
반짝인 이유도
너의 빛 때문이었고

내가 꽃처럼
피어난 이유도
너의 향기 때문이었는데

나는 내가
예쁘고
잘나서 그런 줄 알았다

말 조심

가루는
칠수록 고와지고

말은
할수록 거칠어진다

글 속에 글 있고
말속에 말 있다

말은
조심 또 조심

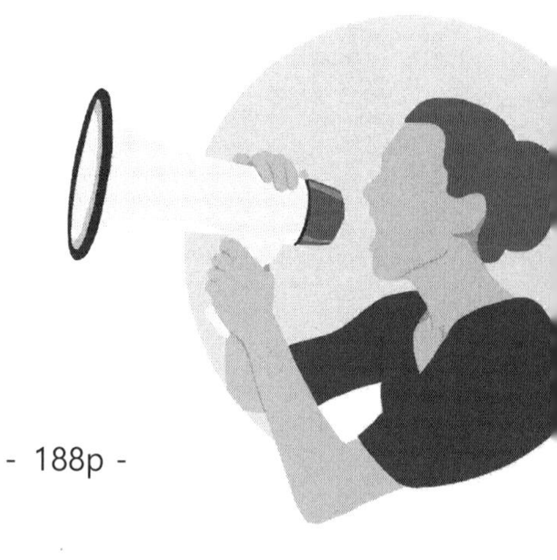

순이 엄마

햇볕에 그을린 주름진 얼굴
구멍 난 양말
흙 묻은 손톱

기워 입은 고무줄 바지
볼록 나온 배

불타는 밭이랑은
오늘 다 일궈야 하는데

아름다운 그녀는 어디로 가고
더위에 지쳐 자식 걱정인
순이 엄마만 있다

착각

자기야
착각하기 없기

세상 경험이 부족한 이들이
가장 쉽게 저지르는 실수

하나를 아는데도
열을 안다고 착각하는 것

착각은 자유지만
현실은 냉정해

책임은 자기 몫이야

사랑이란

사랑이란

함께

마음을 나누며

시간을

보내는 것이 사랑이다

우리를 향한 사랑

사랑에는
나를 향한 사랑
너를 향한 사랑

우리를 향한 사랑이 있다

많은 사람들이
나에서 사랑을 멈추고
울타리를 치지만

누군가는 그 테두리를
무너트린다

그 사랑이 있어서
세상은 아직
아름답다

내가 말하면

자기야 내가 말하면
끝까지 듣고 말해

궁금해도 참아
치고 들어오지 말고

그렇다고
영혼 없이 듣기만 하지 마
적당한 반응도 해주고

눈도 바라보고
미소도 잊지 말고
알았지?

이렇게 말해

자기야 말할 때
같은 말 되풀이하고
혼자만 떠들고

주제에서 벗어나고
너무 자기 자랑하고
다른 사람 험담하고

그러지 마

하고 싶은 이야기만
천천히 말해

자연의 법칙

내가 종이를 접어
하늘로 높이 던진다면

그 종이가
새가 될 확률이 있을까!

혹시 수많은 노력을 한다면
그 종이는
새가 될 수 있을까!

세상에
자연을 거스르는 건
사랑밖에 없다

변하지 않는 사랑

얼음이 물에 뜨지 않고
아래로 가라앉는다면
고기들은 어떻게 될까

공기가 지구에서
한 시간만 사라진다면
우리는 어떻게 될까

너처럼
변덕스럽지 않고

변하지 않는
자연의 사랑 앞에
무한 감사할 뿐이야

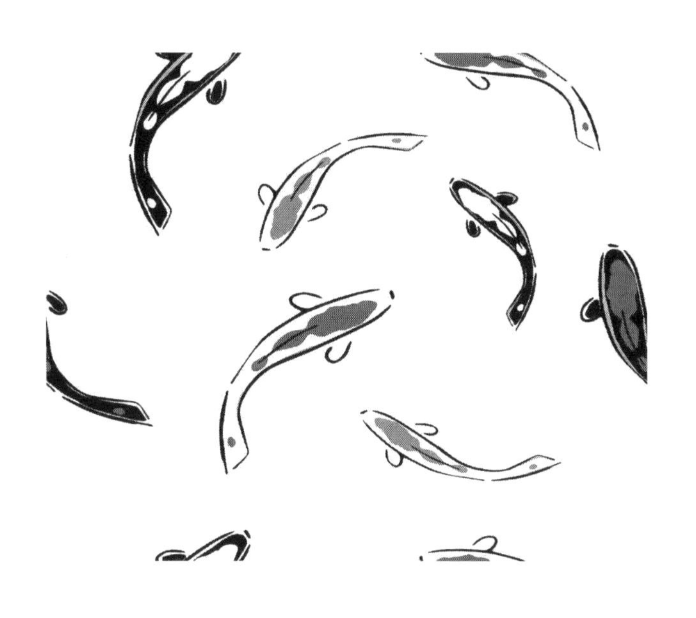

나 빼고 다 적이야

미소 하나로
세상을 얻은 클레오파트라

여인의 치마폭에
세상을 잃은 안토니우스

누구처럼 되지 않으려면
자기 보고
웃는다고 좋아하지 말고

나 빼고
다 적이다 생각해
아님 나한테 죽음이야

신선한 그대

처음 보면서
마치 이전에 본 것 같은
느낌을 주는 사람

다시 보면서
마치 처음 보는 것처럼

무언가
새로운 느낌을 주는 사람

자기는 처음부터
그랬어

이별의 이유

난 슬픔을
좋아하지 않아요

어느 날부터인가
그대를 만나고
돌아오는 길이

온통 슬픔에
휩싸여버리는 거예요

안개에 갇힌 모습이랄까
슬픔은 아픈 거예요

슬픔에서 멀어지려면
그대를
멀리할 수밖에 없어요

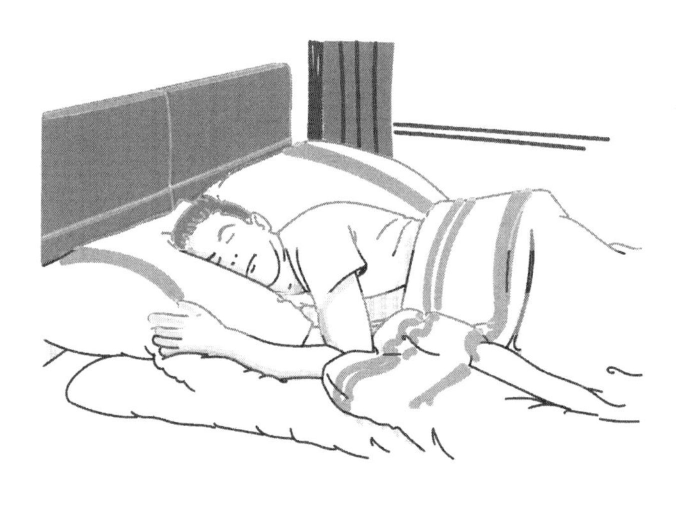

거리의 연인들

길을 걸으며
아름답기 그지없어
질투 나는 사랑을 본다

흩날리는 머리를 넘겨주는
남자의 모습에
가슴이 뭉클하기도 하고

길 가장자리는 당연히
여자에게 양보하는
배려심에 내심 부럽기도 하다

자연스러운
친절과 배려의 행동 속에
남자의 사랑이 반짝인다

좋은 이유

자기가 좋은 이유는
자신의 일에
변명하지 않고

나의 말에
귀담아 들어주고

행동으로 보여 주고
변함없이
나를 사랑해서야

자기를 향한 사랑

바닷물 중
3 퍼센트의 소금이
바닷물을 썩지 않게 하듯이

내 심장 중
3 퍼센트의 선한 마음씨가
나의 삶을 지탱하고

나머지 97 퍼센트는
사랑하는
자기를 향해있어요

나의 행복

자기 생각으로
내 머리가 꽉 찬 느낌이야

이런 행복한 경험
해 본 적 있었나 싶어

일상생활이 힘들 만큼
아플 때나

피곤한 신경전에
머리가 복잡해질 때나

언제나 자기 생각하면
툭툭 털고
일상으로 돌아갈 수 있어

자기 열정이
내게 주는 행복은
상상 그 이상이야

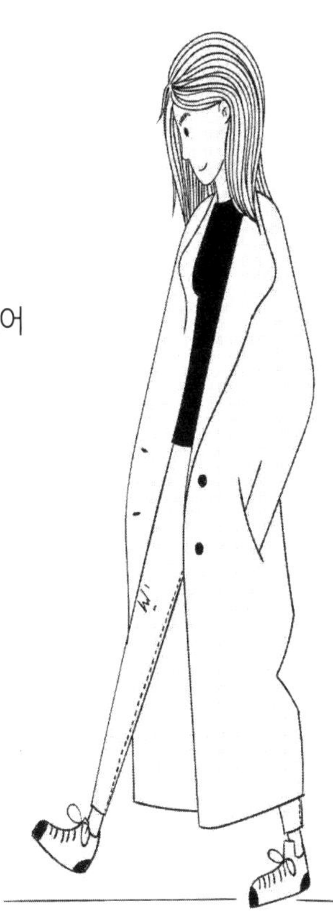

외로운 이유

사람이 외로운 이유는
밤 하늘에 불꽃이
아름다운 이유와

비 갠 뒤
무지개가 아름다운 이유와 같다

그것은 금방
사라져 버린다는
아쉬움 때문일 것이다

나는
아름답지 않아도 좋으니까
외롭게 하지 마

오래오래 곁에 있어줘

흔들리는 사랑

많은 사람들이
사랑을 하면서도

자유를 잃을까 봐
버림받아 절망할까 봐
두려움과 불안에 시달린다

최고의 절정을 맛보다가도
오해로 멀어지기도 한다

믿음 없는 이들은
사랑을 해도
흔들리는 사랑을 한다

나의 기쁨

메마른 대지에
소나기가 내리듯

어두운 밤하늘에
별이 빛나듯

차가운 겨울에
햇살이 비치듯

너는
나의 기쁨
나의 희망이다

사랑의 방향

사랑은
너의 매력에 끌려
그리워하거나 좋아하는 마음

너를 돕고
이해하려는 마음

너를 몹시 아끼고
귀중히 여기는 마음이다

사랑의 주체는
나지만

모두
너에게 맞춰 있다

I LOVE

사랑은 공기와 같아

사랑은 공기와 비슷하다
공간이 작든 크든
고르게 전체를 채운다

아주 사소한 일일지라도
사랑은 모두에게
즐거움을 가져다줄 수 있고

반대로
아주 사소한 일일지라도
상처는 모두에게
아픔을 가져다줄 수 있다

당신은 멋진 사람

전부 얻었다가
모두 잃어버리는 기분

느끼고 싶지 않으니까
우리 천천히 가요

당신은 시선을
사로잡는 사람이에요

누구와 대화해도
상대방의 말에
귀 기울일 줄 알고

적절한 추임새로
나를 특별하게
만들어 주는 사람

당신은 멋진 사람이에요

사랑의 힘

세상에서
가장 위대한 것은

사람의 생각을
변하게 하는 것이다

생각을
변하게 하는 것은

지식도 아니요
지혜도 아니요

오직 하나
사랑뿐이다

감정에 충실하지 말자

감정은
좋게 느껴진다고 해서
다 좋은 것이 아니고

나쁘게 느껴진다고 해서
다 나쁜것만은 아니다

감정은 삶의 일부일 뿐이지
삶의 전부가 아니기 때문이다

감정에 너무 충실하면
사랑이 힘들 수 있다

사랑은 의지

사랑은
너에 대한 관심이고
너에 대한 헌신이다

네가 잘 되고
성장하길 바라며

그렇게 되도록
스스로 노력하는 의지이다

얼마나 사랑해?

자기는
나를 얼마나 사랑해?

하늘만큼 우주만큼
사랑해

자기는
나를 얼마나 사랑해?

보석 보다
목숨보다 더 많이

그래? 그럼
오늘 커피랑 밥은
자기가 쏘는 걸로 해

사랑의 준비

커피를 마시려면
마시려는
마음이 있어야 되는 것처럼

사랑도
사전에 충분한
정서적으로 준비가
서로 되어 있어야 해요

사랑한다고
날마다 꽃을 피울 수는
없기 때문이죠

사랑은 연주 같아

사랑은 마치
피아노 연주 같아요

아름다운 피아노 소리도
언제나 고요한 건 아니듯

세게, 여리게, 빠르게, 느리게
쉬었다 다시 연주하죠

다양한 높낮이와 강약이
있는 소리죠

사랑도 이와 같아요

안정된 사랑

사랑을 하게 되면
너무 좋아서

아무나 붙잡고
기쁨을 말하고 싶지만

우리가 추구하는 건
흥분된 사랑이 아니라

사랑 이후
찾아오는
정서적 육체적 안정감이다

사랑의 흔적

누군가의 사랑은
가슴에
지워진 흔적이
사랑이고

누군가의 사랑은
가슴에
지울 수 없는 흔적이
사랑이다

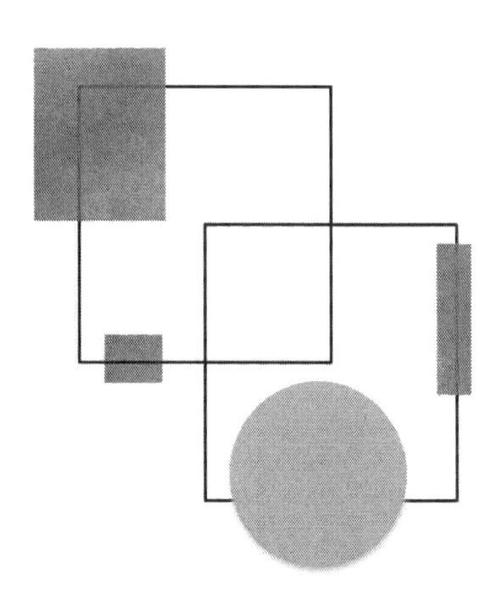

시간이 없다면

누군가를 사랑하면
그 사람의 삶이
성장 하기를 바란다

모든 에너지를
그에게
온전히 집중시킨다

시간이 없다면?
그것은
사랑이 아니다

믿음이 가는 당신

당신은
하루의 피로를
잊게 해주는 힘이 있어요

사랑은
조심하지 않으면
부서질 수 있는데

당신은 만날수록
든든하고 따뜻하고
믿음이 가요

열무김치

딸에게 열무김치 만들어
지하철을 타고 가는데
엄마 생각이 났다

울 엄마도
자식에게 열무김치를
만들어 주셨는데

나는 철이 없어서
엄마 힘드시다고
불평만 했었다

지금 생각하니
불평한 양만큼
눈물이 난다

다름 이해하기

자기랑 나는
99.99% 동일하고
0.1%가 다르지

그 말은
30억 유전자 중에서
서로 300만 가지
다르다는 말이야

그러니까
자기랑 나랑 생각이
조금 다르다고 해서

어이없는 표정 짓지 말고
화내지 말고
사랑으로 이해해 줘

사랑의 시작

나이가 몇 살이든
중요한 것은
정서적으로 친밀한 사람들과
함께 지내는 것이 행복이다

상대방과
소통하지 못하는
사람은 행복과 거리가 멀다

소통에는
말하기, 듣기, 글쓰기
비언어적 의사소통이 있다

소통은 말이 통한다는 뜻
사랑의 시작과
행복의 시작도 소통에 있다

어느 날

어느 날 갑자기
정말 죽을 만큼 힘든 일이
나에게 생겼어요

그런 일은
두 번 다시 경험하고 싶지 않아요

그 엄청난
일을 겪은 후
나는 생각을 바꾸었어요

내 삶을
예전보다 훨씬
더 소중하게 여기고

일상의 소소한 행복을
더 많이 향유하고

나를 자주
돌아보기로 했어요

사랑과 인내

자연은 봄 다음
겨울을 주지 않는다

모든 것엔 순서가 있다
열매가 꽃보다 빠를 수는 없다

장미꽃보다
더 아름다운 사랑을 원하면서
기다리고 인내하지 않는 것은

사랑이 아니라 욕망이다

달과 6펜스

달의 삶을 살 것인가?
6펜스의 삶의 살 것인가?
답이 없는 질문에 자꾸만 매달린다

6펜스도 중요하고
달도 중요한데

왜 이것 아니면
저것 이어야만 하는지

한쪽에 치우친 생각이나 삶은
결코 건강할 수 없다

달도 6펜스도 중요하고
나도 중요하고
너도 중요하다

걸어야 된다

산을 오를 때
정상만 쳐다본다고
오를 수 있는 것은 아니다

코스가 몇 개 있고
험난한 코스는 얼마나 있는지

파악하고 있다고 해서
정상에 오르는 것도 아니다

그것은 한 걸음씩
정상을 향해

걸음을 옮겨 놓아야만
가능한 일이다

네가 제일 좋아

사랑의 언어 5가지

인정하는 말
함께 하는 시간
선물
봉사
육체의 접촉

이 중에서 나는
선물이 제일 좋아
자기는?

나는
그런 네가 제일 좋아

예쁘게 말해

길은 갈 탓
말은 할 탓이라지?

같은 말이라도
어떻게 하느냐에 따라서

듣는 사람은 기분이
하늘과 땅 차이가 되니까

나한테 말할 때
빈말하지 말고
예쁘게 해주세요

한 번 더 해보자

한 번의 노력이
성공의 길로 인도할 수도

한 번의 포기가
성공의 길에서
멀어지게 할 수도 있다

한 번 더
노력해 보는 거 어때?

POSSIBLE

인생 길

사람의 일생은
무거운 짐을 지고
먼 길을 가는 것과 같아요

무슨 일이든
마음대로 되지 않는다는 것을 알면
불만을 가질 이유도 없지요

지금 당신
힘든 거 알아요

이 시간이 지나면
모든 것이 제자리를 찾을 거예요

포기하지 말아요

시간이 지나면
사라질 것은 사라진다

시간이 약이다
믿고 기다리는 것도
내게 주는 선물이 될 수 있다

삶의 무게로
너무 아파하지 말아요

사랑을 끝까지 놓지 않으면
모든 것이
안개처럼 사라질 거예요

나를 봐요

떠난 사람
추억을 안고 살아가겠다고요?

세월의 이끼가 마음에 쌓여도
변하지 않을 건가요

왜 눈앞에 나는
보이지 않나요?

사랑 속에 필요한 것

사랑 속에는
없어서는 안되는
반드시 필요한 것이 있다

조각가의 연장같이
화가의 붓같이

사냥꾼의 화살같이
사랑 속에는 이것이 있어야 한다

이것은 진실이다

망설이지 마세요

살다 보면 어차피
일어날 일은
일어나게 되어 있고

세상은
살아가게 되어 있기에
망설이지 말고

내디디세요
당신의 길을
찾을 수 있을 거예요

사랑하면 보인다

사랑하면 보인다
보이지 않던 것이
보이고

사랑하면 보인다
보이던 것이
다르게 보인다

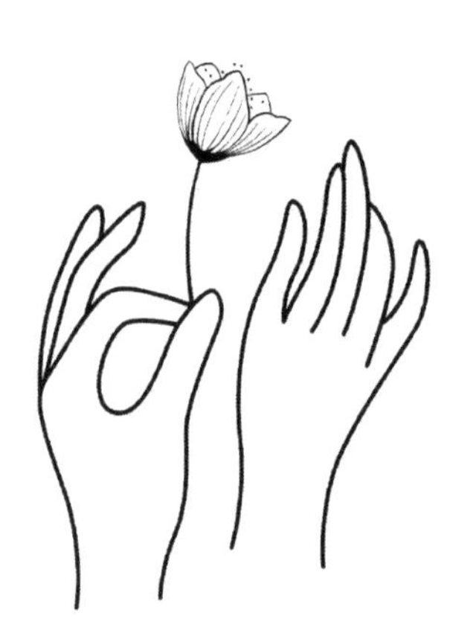

너를 기억하는 증거

나의 행동은
몸에 기억된
습관들로 이루어진다

몸이 습관을 기억하면
행동은 자연스럽게 나타난다

어디에 있어도
무엇을 해도
네가 보고 싶은 건

내 몸이
너를 기억하고 있다는 증거다

당신 밖에 없어요

나 자신 보다
당신을 더 사랑하니까
불안해하거나 질투하지 말아요

나 때문에 당신이 힘들면
내가 더 힘드니까

알아줘요
당신 밖에 없다는 거

비와 그리움

비가 오네요
비를 좋아한다던 당신
생각납니다

우리가
처음 만날 때도
비가 왔는데

우산이 없어서
오는 비를 다 맞았죠

비가 내리면
그날이 생각나요

손을 잡고
덕수궁 돌담길을 걸었죠

그래도 좋았어요
당신 사랑이
비처럼 내렸으니까

시간이 지나기 전에

지금 이 순간이
지나고 나면

행복했던
그때의 시간으로 남을 테지

이 시간이 모두
지나기 전에
아낌없이 사랑하자

가까이 있는
우리에게 집중하자

이 비 그치면

비를 피하려
우산을 폈더니

네 얼굴이 안 보여
우산을 접는다

이 비 그치면
그리움도 그칠까

이젠 돌려줘

너를 만나고
잃어버린 게 많아
이젠 돌려줘

뭘 돌려줘?

너를 보면
숨을 쉴 수 없어
내 산소 돌려줘

뭐래?

너를 보면
눈을 뜰 수 없어
내 시선 돌려줘

자꾸 뭐래?
알았어

오늘 커피
내가 살게

상처 치유

상처는
누군가에게

자신의 상처와
똑같이 준다고

치유되는 것이 아니다

상처는
사랑해야 치유된다

사랑만 했다

당신과 함께
마음을 나누고

당신과 함께
시간을 보내는 것이
행복인데

우리는 그저
사랑만 했어요

어떻게 해야
사랑이 자라는지 몰랐어요

가장 행복한 것은

사랑하는 사람과 함께
무엇을 한다는 것
그것이 곧 행복이다

비록 하나는
늘어진 양말이고

하나는
구멍 난 양말일지라도

인생에서
가장 행복한 것은

누군가를 사랑하고
또 사랑받는 것이다

유혹적인 당신

한 여인의 미소가
트로이 전쟁을 일으켰다거나

한 여인의 춤이
누군가의 목을 요구했다거나

한 여인의 미모가
나라를 망하게 한 일 보다

내게는
당신이 더 유혹적이에요

아픔의 차이

그 일이 있은 후
나는 세상이
끝난 줄 알았어요

나의 잘못으로
이별을 하든

누구의 잘못으로
이별을 하든

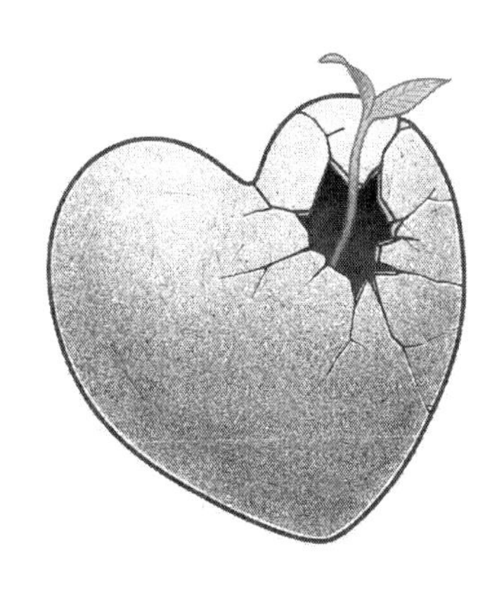

오래 사귀었든
얼마 사귀지 않았든

세월의 깊이와 무관하게
이별은 고통을 수반하고

더 많이 사랑한 사람이
더 많이 아프다

흔들릴 이유 없다

하나 더하기 하나가
셋이라고 주장하는 사람이

나에게 무슨 말을 한다고
혹시 둘이 아니고 셋인가라고
내가 흔들리겠나!

누군가에게 칭찬을 받는다고
내 키가 커지겠는가?

칭찬을 받지 못한다고
내 키가 작아지겠는가?

나를 바로 알고 있으면
무슨 일에든
흔들릴 이유가 없다

외로움의 전쟁

단 하루도

그를

생각하지 않은 날이 없다

그가 없는 삶은

외로움의 전쟁과 같았다

나는 그 전쟁에서

날마다 지기만 했다

그래도 그를

생각할 수 있다면

지는 것도

내겐 행복이다

사랑은 오지 않고

비가
하늘에서 눈처럼
내리던 그날

예쁜 비를 맞으면
사랑이 이루어진다기에

빗속을
하루 종일 걸었다

집에 왔더니
사랑은 오지 않고
감기만 왔더라

너의 온기

너를 만나
변해가는 나를 본다

거북이 껍질처럼 딱딱하던
내 마음이

밤하늘의 달빛처럼
차가웠던 내 미소가

햇살 속에 스며드는
너의 온기에
눈처럼 녹아내린다

가장 그리운 것

누군가를 사랑하게 되면
별난 것들이 다 궁금해진다

아주 사소한 것들조차
궁금해진다

이것은 사랑이
깊어질수록 더욱 그러하다

누군가를 사랑하며
그리워할 수 있는

모든 것들 중에서
가장 그리운 건

그 사람의
미소 짓는 얼굴이다

사랑 없으면 하루도

오늘은 마치 봄날 같아요
창문으로 쏟아지는 햇살이

빛바랜 벽을 지나
하얀 재스민 사이로
비처럼 내리네요

향기로운 재스민도
햇빛 없이는
꽃 한 송이 피우지 못하는데

나도 그래요
당신 사랑 없으면
하루도 살 수 없어요

왜 나를 사랑하나요?

당신은 왜 나를 사랑하나요?
그 사람이
나지막한 목소리로 내게 물었다

왜냐고요?
밤 하늘의 별이
왜 반짝이는지 아시나요?
장미꽃은 왜 피는지 아시나요?

나는 당신을
사랑하도록 태어났어요

하늘의 별들이 우리를 향하고
세상의 꽃들이 태양을 향하듯
나는 당신을 향하도록 태어났답니다

사랑과 욕망 차이

사랑과 욕망은
비슷한 거 같지만 확연히 다르다

사랑은
시간을 함께 하고 싶어 하고
무엇이든 나누고 싶어 하고
언제나 그가 영 순위에 있다

욕망은
다 쓰고 남는 시간을 가지고
최선을 다하는 척한다
만나지 못하는 이유가 많다

얼핏 보면 진실한 사랑 같지만
자세히 보면
다분히 이기적이고 육체적이다

짧은 글을 길게 읽다

그는 나에게
긴 이별을 위한
짧은 글을 남겼다

그동안 고마웠어요

그게 다였다
나는 짧은 글을
길게 읽었다

왜 고맙다고 했는지
하루 종일 생각했다

적을 때 줄어듦

많이 있을 때는
모르지만

적게 있을 때는
그 줄어듦이
금방 눈에 띈다

그것은
가난할수록 더하고
없을수록 더하다

돈도
건강도
사랑도 그러하다

사랑에는

사랑에는
신뢰가 있어야 하고
존중이 있어야 한다

사랑에는
배려가 있어야 하고
진실이 있어야 한다

사랑에는
공감이 있어야 하고
대화가 있어야 한다

사랑은
거짓이 없어야 하고
무시가 없어야 한다

사랑은
무관심이 없어야 하고
위선이 없어야 한다

사랑은
냉담이 없어야 하고
침묵이 없어야 한다

남겨진 자국

그가 떠난 자리에
그녀의 입술이 선명한
커피잔만 덩그러니 남았다

입술은 꽃잎처럼
꼭 다물고 있는데

가슴속에
스며드는 눈물은
멈추질 않는다

가려거든
흔적일랑 남기지 말지

위로와 추억

우리는
멀어졌다 가까워졌다
반복했다

오해로 멀어지기도 하고
대화로 가까워지기도 했다

그렇게
적절한 거리를 유지했다

우리 사이는
과거를 돌아보면 추억이 되고
미래를 바라보면 위로가 된다

떠나는 이유

사랑이
오래가지 못하는 이유
소리 없이 끝나는 이유
쉽게 떠나는 이유는

상대방의
감정과 필요는 무시하고

나의 욕구만
우선시해서 인지도 모른다

배려 없는
몸의 사랑이
오래갈 리 없다

춥다

몸이 추운 건
견딜 수 있는데

마음이 추운 건
무엇으로 견디나

달콤한 너

너의 눈은
별과 같이 반짝이고

너의 미소는
햇살같이 포근하고

너의 말은
꿀과 같이 달콤하구나

당신은 매화꽃

꽃들은
앞다투어
아름다움을 뽐내지만

어떤 꽃이
가장 아름다운 꽃인지는

추운 겨울이 오면
알게 된다

매화 앞에 모두는
그저 시든 꽃일 뿐이다

당신은
나의 매화꽃이에요

마음의 소리

듣기만 하는 대화
거기에는 빠진 게 있다
그것은 마음이다

사랑하는 연인들이
행복한 이유는

말을
글자로만 듣지 않고
마음의 소리로 듣는다

그러니
하늘의 별을 따준다 해도
믿는 것이다

선한 열매

하늘은 선악을 불문하고
누구에게나 그 빛을 비춘다

악한 사람도
악의 열매가 익기 전에는
빛을 누릴 수 있다

그러나 그 열매가
익을 때에는
악의 열매를 얻게 된다

선한 사람도

선의 열매가 익기 전에는

고통을 받을 수 있다

그러나 그 열매가

익을 때에는

선의 열매를 얻게 된다

받지 말아요

나는 아프니까
내 맘대로 해도 괜찮은가요?

지나간 과거와
씨름하면서

사랑하는 사람은
안 보고
왜 내 상처만 보나요

과거에서 전화가 오면
제발 받지 말아요

사랑과 집착

사랑은
상대 입장을 배려하면서
행복하게 해주려 하지만

집착은
상대 감정을
고려하지 않고
내 입장에서 내 맘대로 한다

사랑은
함께 공유함으로
서로 마음이 편안하지만

집착은
상대를 소유함으로
내 마음만 편하면 된다

정말 강한 복수

복수는
돌이키고 싶은
그날에서 시작하지만

돌이키지 못한다는 것으로
끝이 난다

악한 복수는
내가 피해자에서
가해자가 되어
또 다른 복수가 생기게 한다

정말 강한 복수는
선으로 악을 이기는 것이다

이것은 사랑의 놀라운 힘이다

히든 카드 하나

기억
지운다고 지워지면
얼마나 좋을까

아플수록
지우기 어려운 게
기억 아닌가

어쩌다 마음이
아픈 일이 생길지라도
지우고 싶은 일이 생길지라도

잘 이겨내기 위한

히든카드 하나쯤 가지고 있자

누구는 운동으로

누구는 여행으로

누구는 독서로

또 다른 그 무엇으로

히든카드 하나쯤 가지고 다니자

밀려나는 기분

내일 봐요
조만간에 봐요

그래?
지금 보고 싶은데

내일로 자꾸만
미루지 마

밀려나는
기분 드니까

잠시 멈춤

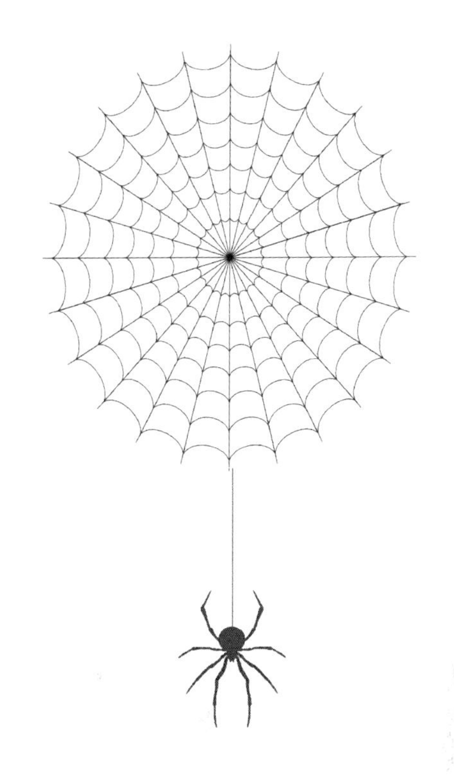

거미줄처럼 얽힌
수많은 관계 속에서

누군가를
이해가 안 된다고
몰아붙이면 안 된다

그땐 잠시
멈춤의 시간을
주고받아야 한다

잠시
멈추어야
숨을 쉴 수 있다

나의
생각을 고집하면
상대는 숨을 쉴 수 없다

더 많이

자기야 우리

더 많이 웃고

더 많이 즐기고

더 많이 행복하게 지내자

그래

더 많이 보고

더 많이 생각하고

더 많이 사랑하자

당신이 좋은 이유

당신이 이런 사람이
아니라서 좋아요

이 세상에서 내가 최고이고
타인의 감정을 이해하지 못하고
오로지 자신의 감정만 중요한 사람

자신과 대립하는
모든 사람들은
나쁘다고 생각하는 사람

창피해야 할 때는
극단적인 리액션을 보이고
오히려 화를 내는 사람

10을 해 놓고 혼자
100을 받고 싶어 하는 사람

삶의 황금 법칙

살아가면서
이것만
이루어진다면

미움과 다툼은
일어나지 않을 것 같다

이것은
삶의 황금 법칙인

네 이웃을
네 몸과 같이 사랑하라
그것이다

우리는 다르다

인생을 살수록
깨닫는 지혜가 있다

나와 너는
너무나 많이
다르다는 거다

이 사실을
좀 더 일찍 알았다면

그렇게 많이
다투지는 않았겠지

쓰러지게 하지 마

가진 게

많은 사람은

하나를 잃어도

문제가 일어나지 않지만

하나가

전부인 사람은

하나를 잃으면 쓰러지고 만다

난 자기밖에 없으니까

쓰러지게 하지 마

잃어버린 도시

숲속의 나비는
춤을 추지만
도시의 나비는 춤을 잃었다

숲의 바람은
시원하지만
도시의 바람은 거칠어졌다

숲의 공기는
신선하지만
도시의 공기는 무겁기만 하다

숲속의 새는
노래하지만
도시의 새는 말을 잃었다

우리는
도시를 얻었고

우리는
도시를 잃었다

사랑의 목적

사랑의 목적은
생명을 얻게 하되

더욱 풍성하게
얻게 하는데 있다

그래서
사랑이 있는 곳엔
어디나 치유가 있다

치유는
사랑의 열매이다

겸손의 맛

눈에
보이지 않지만
음식에 스며드는
소금처럼

겸손은
그 고마움이

마음속
깊이 스며들고

사람 사는 맛을 낸다

더없이 좋은 당신

그 사람은
더없이 좋았다

같이 있으면
즐겁고

이야기 나누면
재미있고

내가 아프면
향유를 깨뜨려 발라주었다

당신은 빛날 거예요

나는 당신에게
물도 주고
햇빛도 주고
싱싱하게 키울 거예요

푸른 풀처럼
예쁜 꽃처럼
당신은 싱싱해질 거예요

언제나
생명 넘치는 존재로
당신은 빛날 거예요

내 사랑이
그렇게 만들 거예요

무언가는

만약 그 일이
내게 일어나야만 했다면

그 일은
분명 내 삶에

작은 도움이 될
무언가도 남겼을 거예요

좋은 일도 있을 거라 믿어요
그렇게 생각해요

세상은

세상은

나 없이

살 수 없고

나는

너 없이

살 수 없다

길을 잃었다

산 중턱에서 길을 잃었다
아무도 다니지 않고
혼자 걷고 있다는 걸 안 것은
그리 오래가지 않았다

적어도 5분, 10분 걸으면
한 두 사람은
스쳐야 되는데

20분을 넘게 걸어도
사람은 고사하고
바람조차 느낄 수 없이 고요했다

살다 보면 길을 잃고
혼자 걸을 때도 있지만
아무도 없는 것 같은 그때라도

포기하지 않으면
반드시 돌아올 수 있다는
믿음이 생긴 하루였다

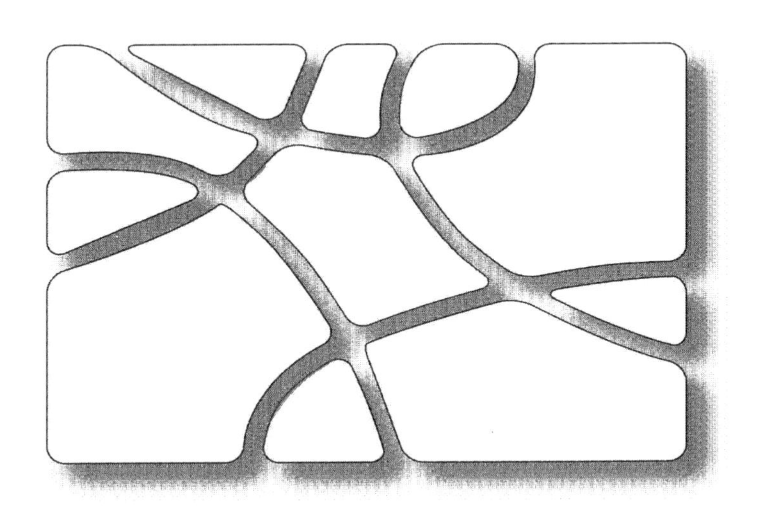

아름다움의 근원

어떤 것이
즐거움과 기쁨을
줄 만큼 예쁘거나

감동을 줄 만큼
훌륭하고
착하거나 장하면

그것을
아름답다고 하는데
당신이 그래요

당신은 내게 있어
가장 큰 기쁨
아름다움의 근원이에요

머리만 큰 바보

사랑을 좋아하지만
사랑이 좋은 이유를

설명할 수 없음이 답답해서
사랑을 포기한다면

그 사람은
머리만 큰 바보다

설명할 수 없으면
존재하지 않는 것인가?

사랑은
머리로 하는 게 아니라
가슴으로 하는 거다

고작 너 하나

내 인생에
고작 너 하나
빠진 거뿐인데

온 세상이
텅 빈 것 같아

네가 없는 하루가
익숙할 줄 알았는데

더 커져만 가는
너의 빈자리

내 인생에
고작 너 하나
빠진 거뿐인데

너무 많은 것들이
변해버렸다

최고의 시간

그와 만남은
최고의 시간이었고

그와의 이별은
최악의 시간이었다

가장 행복한 시간도
그와의 시간이었고

가장 아픈 시간도
그와의 시간이었다

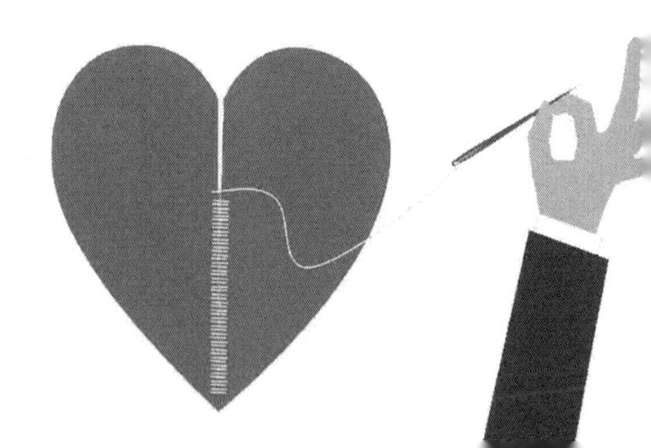

세상의 많은 문제

세상의 많은 문제는
대부분
돈과 사랑이다

이것에 대한
시선이
변하지 않는 한

누군가는
아프게 되고

누군가는
외롭게 된다

그거 아니?

왜 사람들이
다닥다닥 붙어 사는지 아니?
불안해서 그래

모진 인생
의지할 것이
없어서 그래

다닥다닥 붙어살면
한 스푼의
온기라도 느끼니까

다닥다닥 붙어살면
한 스푼의
눈물이라도 나눌 수 있으니까

어떻게 살아야 하나?

어느 날, 갑자기
내가 필요 없는 존재로
느껴진다거나

세상이 나를
필요 없는 존재로 만든다면

나는
어떻게 살아야 하나?

질문에 답을 하며
마음을 추슬러 본다

세상은 나의 가치를
정할 수 없고

나의 존재는
누구의 필요에 따라
결정되지 않는다

소나기

햇살이 가득한데
장대비가 내린다

웃으며 뛰었지만
마음이 젖었다

옷이야
털겠지만

마음에 내린 비는
어찌해야 하나

분재의 아픔

작은 화분 속
뿌리도 뻗지 못한 분재

바람에 흔들리지도 못한 채
억지로 굽어버린 가지

아름다움을 위해
가위질로 다듬어진
희생된 자유

그 아픔은
아무도 모른다

당신은 새 나는 바람

3미터가 넘는 날개로
바람을 타고

하루 500km
50일 동안

한 번도 쉬지 않고
날 수 있는 바보 새가 있죠

그 새의 이름은
알바트로스

당신은 알바트로스
나는 바람

왜, 콩깍지가 벗겨지나

사랑하는데
왜 콩깍지가 벗겨질까?

내가 원하는 것만
보던 시선에서

밑바닥이 보이는
시선으로 바뀌면
콩깍지가 벗겨진다

그 순간
변함없이
존중하고 공감하며

따뜻한 말로
서로를 배려하면
예쁜 사랑이 시작되고

고개를 돌리면
사랑이
어떻게 변하는지 알게 된다

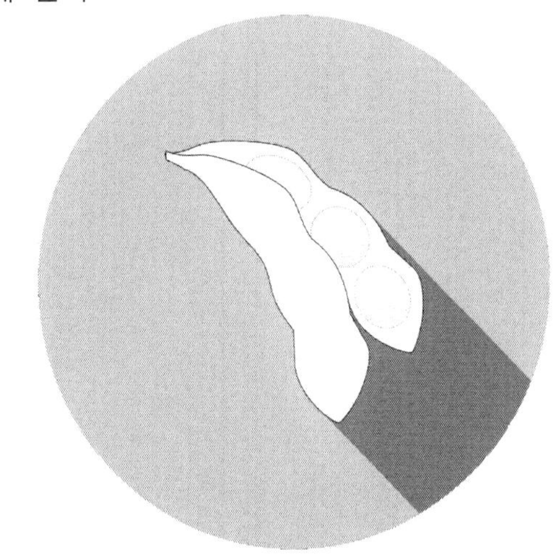

진리와 의지 사이

마음이 건강한 사람은
진리와 자기 의지 사이에
갈등이 일어나면

언제나 버리는 것은
자기 의지이다

진리를 인정할 때
진리는 우리를 자유롭게 한다

나는 언제나 옳고
네가 틀리다 하면
진리도 자유도 떠난다

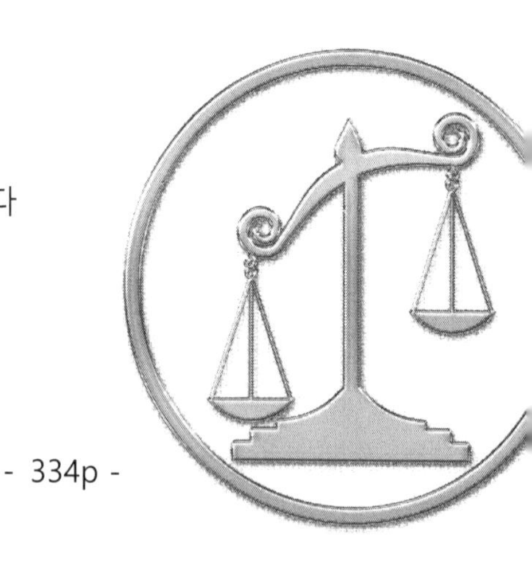